中华人民共和国工业和信息化部

公　　告

2015 年　第 28 号

工业和信息化部批准《低温先导式呼吸阀》等 876 项行业标准（标准编号、名称、主要内容及起始实施日期见附件 1），其中机械行业标准 286 项、汽车行业标准 17 项、船舶行业标准 19 项、航空行业标准 5 项、化工行业标准 24 项、冶金行业标准 58 项、有色金属行业标准 146 项、稀土行业标准 16 项、石化行业标准 7 项、轻工行业标准 73 项、民爆行业标准 10 项、电子行业 77 项、通信行业标准 138 项；批准《中性墨水圆珠笔和笔芯》等 2 项轻工行业标准修改单（见附件 2）；批准《铝合金 6061 光谱单点标准样品》等 12 项有色金属行业标准样品（标准样品目录及成分含量表见附件 3）。行业标准修改单及行业标准样品自发布之日起实施。

以上机械行业标准由机械工业出版社出版，船舶行业标准由中国船舶工业综合技术经济研究院组织出版，航空行业标准由中国航空综合技术研究所组织出版，化工行业产品标准由化工出版社出版，冶金行业标准由冶金工业出版社出版，有色金属、稀土行业标准由中国标准出版社出版，石化行业标准由中国石化出版社出版，轻工行业标准由中国轻工业出版社出版，化工及有色金属工程建设行业标准、汽车行业标准由中国计划出版社出版，民爆行业标准由中国兵器工业标准化研究所组织出版，电子行业标准由工业和信息化部电子工业标准化研究院组织出版，通信行业标准由人民邮电出版社出版，通信工程建设行业标准由北京邮电大学出版社出版。

附件：17 项汽车行业标准编号、标准名称和起始实施日期。

中华人民共和国工业和信息化部

二〇一五年四月三十日

附件：

17 项汽车行业标准编号、标准名称和起始实施日期

序号	标准编号	标 准 名 称	被代替标准编号	起始实施日期
287	QC/T 991—2015	乘用车　轻合金车轮 90°冲击试验方法		2015-10-01
288	QC/T 717—2015	汽车车轮跳动要求和检测方法	QC/T 717—2004 ISO 16833:2006,MOD	2015-10-01
289	QC/T 52—2015	垃圾车	QC/T 52—2000	2015-10-01
290	QC/T 652—2015	吸污车	QC/T 652—2000	2015-10-01
291	QC/T 992—2015	市政工程救险车		2015-10-01
292	QC/T 993—2015	爆炸物品运输车		2015-10-01
293	QC/T 994—2015	背罐车		2015-10-01
294	QC/T 995—2015	液压驱动模块运输车		2015-10-01
295	QC/T 764—2015	道路车辆　液压制动系统　单喇叭口金属管、螺纹孔、螺纹接头及软管端部接头	QC/T 764—2006	2015-10-01
296	QC/T 239—2015	商用车辆行车制动器技术要求及台架试验方法	QC/T 239—1997 QC/T 479—1999	2015-10-01
297	QC/T 996—2015	汽车空气干燥器技术要求及台架试验方法		2015-10-01
298	QC/T 997—2015	客车全承载整体框架式车身结构要求		2015-10-01
299	QC/T 998—2015	汽车空调滤清器技术条件		2015-10-01
300	QC/T 999—2015	汽车用分流式机油滤清器总成技术条件		2015-10-01
301	QC/T 1000.1—2015	汽车滤清器用非织布性能要求和测试方法　第 1 部分:乘驾室空气滤清器用		2015-10-01
302	QC/T 1000.2—2015	汽车滤清器用非织布性能要求和测试方法　第 2 部分:空气滤清器用		2015-10-01
303	QC/T 1001—2015	汽车用机油滤清器过滤性能的评定　颗粒计数法		2015-10-01

目　次

前　　言

本标准按照 GB/T 1.1—2009《标准化工作导则　第 1 部分:标准的结构和编写》给出的规则起草。

本标准不涉及专利。

本标准由全国汽车标准化技术委员会(SAC/TC 114)提出并归口。

本标准起草单位:三一重工股份有限公司、汉阳专用汽车研究所。

本标准主要起草人:易小刚、何小三、曹锦明、田伟、孔山中、徐宏胜、蒋志辉。

背　罐　车

1　范围

本标准规定了背罐车的术语和定义、技术要求、试验方法、检验规则、标志、包装、运输和储存。

本标准适用于采用定型汽车底盘改装的背罐车。

2　规范性引用文件

下列文件对于本标准的应用是必不可少的。凡是注日期的引用文件,仅所注日期的版本适用于本标准。凡是不注日期的引用文件,其最新版本(包括所有的修改单)适用于本标准。

GB 1589　道路车辆外廓尺寸、轴荷及质量限值

GB/T 3766　液压系统通用技术条件

GB/T 3797　电气控制设备

GB/T 3811　起重机设计规范

GB 4208　外壳防护等级(IP 代码)

GB 4785　汽车及挂车外部照明和光信号装置的安装规定

GB 7258　机动车运行安全技术条件

GB 11567.1　汽车和挂车侧面防护要求

GB 11567.2　汽车和挂车后下部防护要求

GB/T 12673　汽车主要尺寸测量方法

GB 12676　商用车辆和挂车制动系统技术要求和试验方法

GB/T 12677　汽车技术状况行驶检查方法

GB/T 13306　标牌

GB/T 14684　建筑用砂

GB 15052　起重机　安全标志和危险图形符号　总则(ISO 13200:1995,IDT)

GB/T 25181—2010　预拌砂浆

QC/T 34　汽车的故障模式及分类

QC/T 252　专用汽车定型试验规程

QC/T 484　汽车油漆涂层

QC/T 518　汽车用螺纹紧固件紧固扭矩

QC/T 29104　专用汽车液压系统液压油固体污染度限值

JB/T 5943　工程机械　焊接件通用技术条件

JB/T 5946　工程机械　涂装通用技术条件

SB/T 10461　干混砂浆散装移动筒仓

3 术语和定义

GB/T 25181、SB/T 10461 界定的以及下列术语和定义适用于本标准。为了便于使用，以下重复列出了 GB/T 25181 中的某些术语和定义。

3.1

背罐车 demountable tanker carrierr

装备有液压举升机构，用于实现容罐的自背、自卸、自运的专用自卸运输汽车。

3.2

叉耳 fork-ear

叉入移动筒仓吊耳，并与移动筒仓吊耳相匹配的装置。

3.3

干混砂浆 dry-mixed mortar

水泥、干燥骨料或粉料、添加剂以及根据性能确定的其他组分，按一定的比例，在专业生产厂经计量、混合而成的混合物，在使用地点按规定比例加水或配套组分拌合使用。

[GB/T 25181—2010，定义 3.3]

3.4

干混砂浆均匀度 homogeneity of dry-mixed mortar

干混砂浆在任意单位容积内所含某种组分的含量与其平均含量(非原始配合比)的接近程度。

3.5

离析 isolation

散装干混砂浆在背罐车运输的过程中，各组分由于粒度分布、颗粒形状、密度、表面特征等方面的差异，导致物料均匀度下降的现象，用离散系数 CV 表述。

3.6

举升角 corner of raise

背罐车作业中举升臂举升到某一位置时，举升臂底部母线与水平面的夹角。

3.7

轻型移动筒仓 light-duty mobile silo

通过气力输送方式进料，只可空载或装少量干混砂浆运输的移动筒仓。

3.8

重型移动筒仓 heavy-duty mobile silo

通过重力及气力输送方式进料，可负载运输的移动筒仓。

3.9

轻型背罐车 light-duty mobile of demountable tanker carrier

运输轻型移动筒仓的背罐车

3.10

重型背罐车 heavy-duty mobile of demountable tanker carrier

运输重型移动筒仓及筒仓内装有一定量干混砂浆的背罐车。

4 技术要求

4.1 一般要求

4.1.1 背罐车应符合本标准的规定,并应按经规定程序批准的产品图样和技术文件制造。

4.1.2 外购件、外协件应有制造厂的合格证。所有自制零部件应经检验合格后方可装配。

4.1.3 焊缝应均匀、平直,无漏焊、裂纹、夹渣、气孔、咬边、飞溅和焊穿等缺陷,焊接质量应符合JB/T 5943 的规定。

4.1.4 外表装饰漆应符合 QC/T 484 的规定,涂装质量应符合 JB/T 5946 的规定。

4.1.5 机罩、护网等应平整,其边缘不得有明显皱褶,安装应牢固可靠。

4.1.6 各电缆、软管、输送管应可靠地固定在规定位置上,作业时不应相互干扰。

4.1.7 气路、油路、电路的管线应排列整齐美观,固定安全可靠。产品标牌、指示牌、说明牌等位置得当,字迹清楚,安装牢固、端正。

4.1.8 背罐车运行安全应符合 GB 7258 的规定 。

4.1.9 背罐车外部照明和光信号装置的安装应符合 GB 4785 的规定。

4.1.10 背罐车制动性能应符合 GB 12676 的规定。

4.1.11 背罐车的外廓尺寸、轴荷及总质量应符合 GB 1589 的规定。

4.1.12 背罐车应适应干粉施工现场工况和环境条件,并应能在下列条件下正常作业:

a) 作业环境温度 -40℃ ~55℃;

b) 作业环境相对湿度不大于 90%;

c) 海拔高度 3000 m 以下。

4.1.13 背罐车信号显示应明亮,指示标牌应清晰。

4.1.14 背罐车爬坡度应不小于 20 %,离去角不小于 10°。

4.1.15 背罐车的侧防护装置和后防护装置应符合 GB 11567.1、GB 11567.2 的规定。

4.1.16 背罐车的叉耳应与移动筒仓相匹配,结构及尺寸应符合 SB/T 10461 的规定。

4.1.17 背罐车各连接部位应采用合理的连接型式,固定可靠。在振动和冲击情况下,不得松动,所有螺纹紧固件扭矩应符合 QC/T 518 规定。

4.1.18 背罐车在背罐行驶中应能可靠固定移动筒仓,以防止急刹冲击造成人员伤害和设备损坏。

4.2 整车要求

4.2.1 背罐车的专用性能应符合表 1 的要求。

表 1 专用性能要求

项目		参数
起落架举升时间,s	轻型	≤100
	重型	≤150
起落架回落时间,s	轻型	≤80
	重型	≤100

表 1(完)

项目	参数
最大举升角,(°)	≥90
两叉耳夹角范围,(°)	60～110

4.2.2 背罐车应抗倾翻,重型背罐车作业抗倾翻稳定性计算方法见附录 A 。

4.2.3 重型背罐车应具有减震、防止干粉砂浆离析的功能,采用附录 B 的试验方法 75μm 筛通过率均匀度应不小于 90% 。

4.2.4 背罐车首次故障前工作时间应不少于 100h,平均无故障工作时间应不少于 100h。可靠度应不小于 85% ,可靠性考核累计作业时间为 200h。

4.3 上装结构部件

4.3.1 举升臂在规定的使用工况下,动作应平稳,并锁定可靠。

4.3.2 背罐车在背罐运输中,举升臂应能可靠地固定在规定位置上。

4.3.3 上装系统的举升臂应保证足够的强度,强度计算时安全系数应大于 1.3。

4.4 液压系统

4.4.1 液压系统应符合 GB/T 3766 的规定。

4.4.2 溢流阀的调定压力不得大于系统额定工作压力的 110% 。

4.4.3 液压油固体污染度应符合 QC/T 29104 的规定。

4.4.4 液压系统应具有良好的密封性能,各处应无渗漏。

4.4.5 背罐车生产作业时,液压油箱内的最高油温不应超过 80℃。作业可靠性试验过程中,相对温升应不大于 45℃。

4.4.6 液压举升系统均应有自动互固锁功能

4.4.7 背罐车在满载状态下,举升角度为 90°的位置上,停留 15min 后,油缸活塞杆沉降量应不大于 5mm。

4.5 电气控制系统

4.5.1 电气控制系统的设计、安装应符合 GB/T 3797 的规定。

4.5.2 电气控制系统应有短路、过载保护装置。

4.5.3 电气防护等级应不低于 GB 4208 中的防护等级 IP55 的规定。

4.5.4 四轴背罐车电气控制系统应设置操纵台,操纵台应有报警器和紧急停止按钮。

4.5.5 背罐车宜配备倒车监视系统,以便于观察背罐车对准移动筒仓的准确性。

4.6 传动系统

4.6.1 传动系统应工作平稳、操作方便可靠、无异常响声、无异常温升和温升过热现象。

4.6.2 传动系统的速比匹配应合理,使油泵在额定转速运转时发动机处于经济转速范围内。

4.6.3 传动系统的扭矩余量应大于等于 20% 。

4.6.4 取力器应操作灵活,不容许有异常噪声和卡滞现象。

4.7 安全、环保

4.7.1 背罐车上部应设置操作人员安全防护设施。

4.7.2 各重要部件宜配有吊装示意图,包括吊装部位,基本部件的重量、重心位置和吊装方法。

4.7.3 背罐车应有安全警示标志,活动支腿等危险部位和突出部位的标志应符合 GB 15052 的规定。

4.7.4 背罐车操作手柄应方便、灵活,各手柄工作时不得互相干扰和引起误动作。手柄在中位时,不得因振动而产生离位。

4.7.5 背罐车应有调平功能,在举升作业中,整机的水平倾角不得大于 3°。

4.7.6 背罐车作业时不应有异常撞击声和异常振动,且噪声应满足表 2 的规定。

表 2 背罐车作业噪声要求

检测位置	噪声限值,dB(A)
距底盘边缘 1m、地面高 1.2m 远处	85
距手柄操纵台边缘 1m、地面高 1.2m 远处	80

4.7.7 背罐车作业地面承压能力不应小于支腿最大支承力,支腿最大支承力应在支腿的醒目位置标示。

5 试验方法

5.1 背罐车技术状况检查按 GB/T 12677 的规定进行。

5.2 背罐车尺寸参数测量按 GB/T 12673 的规定进行,测量状态参见图 1,测量结果记入附录 C 表 C.1。

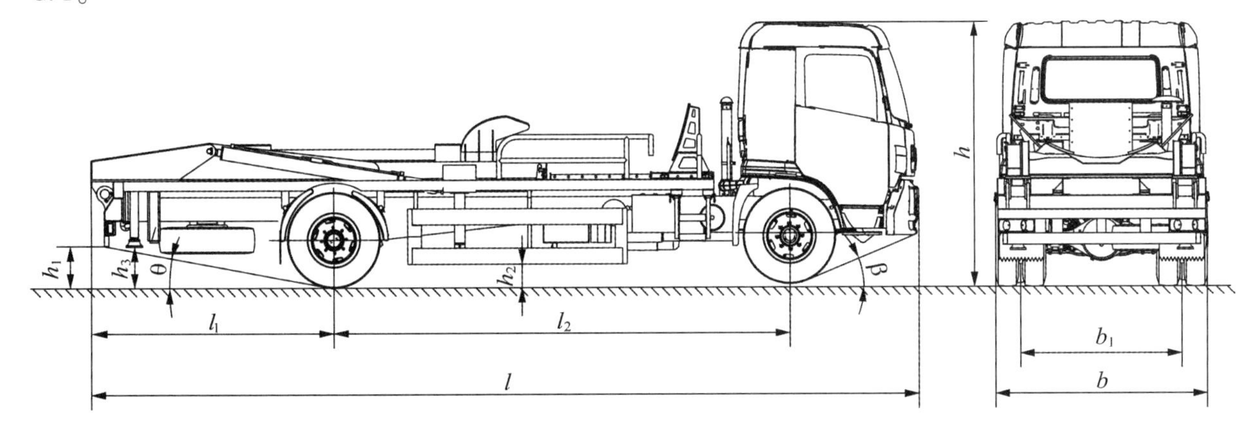

l—总长;b—总宽;h—总高;l_1—背罐车后悬;l_2—背罐车轴距;b_1—背罐车轮距;θ—背罐车离去角;

h_1—后防护离地高度;h_2—侧防护离地高度;h_3—支承装置离地间隙;β—背罐车接近角

图 1 背罐车测量状态

5.3 背罐车性能参数测量按 QC/T 252 的规定进行。

5.4 外观质量检验,在光线良好的条件下,以 50cm 距离目测检查。

5.5 用秒表计测量起落架举升时间,至少重复 3 次并记录所测得的时间,测量结果记入附录 C 表 C.2。计算所测时间的算术平均值即为起落架举升时间。

5.6 用秒表计测量起落架回落时间,至少重复 3 次并记录所测得的时间,测量结果记入附录 C 表

C.2。计算所测时间的算术平均值即为起落架回落时间。

5.7 用角度仪测量最大举升角,至少重复3次,测量结果记入附录C表C.3,计算所测算术平均值。

5.8 用角度仪测量两叉耳夹角,至少重复3次,测量结果记入附录C表C.4,计算所测算术平均值。

5.9 背罐车作业噪声测定:在满负荷作业状态下,用噪声检测仪测量离底盘边缘1m、地面高1.2m远处噪声,离手柄操纵台边缘1m、地面高1.2m远处噪声,测量时应在空旷条件下进行,以测量场地中心为基点,半径为25m的范围内应没有大的声反射物(不含隔离护栏)。测量结果记入附录C表C.4。

首先测量环境背景噪声,然后启动背罐车,测量作业噪声。当测量结果与环境背景噪声之差小于6dB(A)时,应另选环境测量;当两者之差等于或大于6dB(A)时,按表3修正。背罐车作业噪声平均声级按式(1)计算:

$$L_p = \frac{\sum_{i=1}^{n}(L_{pi} - K_{ei})}{N} \qquad (1)$$

式中:

L_p——A计数平均声压级,dB(A);

L_{pi}——第i点计数平均声压级,dB(A);

K_{ei}——第i点背景噪声修正值,见表3;

N——测量点数。

人工观察是否有异常振动,背景噪声修正表见表3。

表3 噪声修正

测量噪声与背景噪声之差,dB(A)	修正值,K_{ei}
6~8	1.0
9~10	0.5
>10	0

5.10 液压系统渗漏性试验:液压系统在1.1倍额定工作压力下保持10min,观察并记录系统有无液压油渗漏。液压油箱、液压元件、各管接头、油塞等部位,若有油迹出现,且10min内有油滴滴下或渗出的油迹面积超过200cm^{2}时,则判定为漏油;如有油迹出现,但不成滴,且面积不超过200cm^2,则判定为渗油。

5.11 液压油缸活塞杆沉降量试验:举升机构满载工况下,举升角在90°位置停留15min,测量其工作油缸活塞杆沉降量。测量结果记入附录C的表C.5中。

5.12 行驶可靠性试验:背罐车行驶可靠性试验按QC/T 252的规定进行,试验时按QC/T 34的规定对背罐车出现的故障进行分类和统计。

5.13 作业可靠性试验:所有项目的测试和试验应在同一台样机上进行。背罐车作业可靠性试验方法参见附录D。

6 检验规则

6.1 出厂检验

6.1.1 质检部门应按规定的项目对每台车实施出厂检验,检验合格并附有产品质量合格证后方可出厂。

6.1.2 出厂检验项目、内容及要求见附录E表E.1。

6.1.3 出厂检验项目包括:

a) 外观质量检查;

b) 几何尺寸参数测定;

c) 专用设施操作性能;

d) 安全设施检查;

e) 液压系统密封性检验。

6.2 型式检验

6.2.1 有下列情况之一者,应经过型式检验:

a) 新产品或老产品转厂生产试制定型时;

b) 产品停产三年后,恢复生产时;

c) 正常生产产量累计1000辆时;

d) 产品的设计、工艺、生产设备、管理等方面有较大改变,可能影响到产品性能时;

e) 出厂检验的结果与定型试验有重大差异时。

6.2.2 进行型式检验的样机应在出厂检验合格的产品中随机抽取。

6.2.3 型式试验项目包括第4章的所有项目。

6.2.4 型式检验时,如属6.2.1中a)、b)两种情况,应按第4章内容和国家有关标准进行检验;如属6.2.1中c),应对专项性能进行检验;如属6.2.1中d)、e)两种情况,可仅对受影响项目进行检验。

7 标志、包装、运输和储存

7.1 标志

背罐车应在明显位置上固定产品标牌,产品标牌应符合GB 7258的规定。产品标牌应包括以下内容:

a) 产品名称与型号;

b) 产品外形尺寸(长×宽×高);

c) 厂定最大总质量;

d) 整车整备质量;

e) 主要专用性能参数;

f) 制造厂名称;

g) 出厂编号及出厂日期;

h) 车辆识别代号。

7.2 包装

7.2.1 背罐车一般采用整车裸装。

7.2.2 背罐车的部件应包装、防护牢靠,确保运输中不受损伤。

7.2.3 背罐车容易失落和损伤的零部件应拆下、使用包装箱运输。

7.2.4 随机备件(含随机工具)应采取防潮、防锈措施,并使用包装箱运输。

7.2.5 随机文件应妥善包装和发运。

7.2.6 背罐车出厂时应有下列技术文件:

a) 产品合格证和底盘合格证;

b) 产品使用说明书;

c) 装箱及备件、附件清单。

7.3 运输

7.3.1 背罐车一般采用公路整车自行运输的方式。

7.3.2 背罐车整车装运时,各部件应可靠固定和防护。

7.3.3 背罐车运输时应按照规定设立标示,小心转弯,运输中应遵守国家有关规定。

7.4 储存

背罐车长期停放时,应将冷却液和燃油放尽,切断电源,锁闭车门、窗,放置于通风、防潮、防腐蚀及消防设施的场所并按产品使用说明书的规定进行定期保养。

附　录　A
（规范性附录）
背罐车结构件强度和整车抗倾覆稳定性计算

A.1　结构件强度计算

A.1.1　计算方法。

A.1.1.1　本规范采用许用应力法计算，金属结构件应进行强度、稳定性和刚性计算，其计算方法按 GB/T 3811 的规定。

A.1.1.2　在无系数的基本载荷状态下和结构件或连接的应力循环总数超过 2000 次时，应进行疲劳强度计算，其计算方法按 GB/T 3811 的规定。结构工作级别根据实际的结构件应力状态和应力循环总次数参照 GB/T 3811 的规定确定。应力循环总数，对于一个构件来说，可以等于工作载荷循环总次数；一次工作载荷循环可理解为背罐车满载情况下起落架举起到回落一次所需的动作。

A.1.1.3　结构件的最大应力 σ_{max}（或 τ_{max}）和最小应力 σ_{min}（或 τ_{min}），是按无系数的基本载荷所确定的同一计算位置的计算点上的绝对值最大的应力和绝对值最小的应力。

A.1.2　计算载荷。

A.1.2.1　载荷分类。

A.1.2.1.1　作用在结构件的载荷分为基本载荷和附加载荷。

A.1.2.1.2　基本载荷是始终和经常作用在背罐车结构上的载荷，包括自重载荷、工作载荷和惯性力。

A.1.2.1.3　附加载荷是背罐车在正常工作状态下，结构件所受的非经常性作用的载荷，包括风载荷和坡度载荷。

A.1.2.2　基本载荷。

A.1.2.2.1　自重载荷。

a）　自重载荷是指背罐车上固有的所有固定的和移动的部件的重力。

b）　鉴于动态负荷的影响，在进行结构件强度计算时，还应在自重载荷的数值上乘以 1.2（系数）。

A.1.2.2.2　工作载荷。

工作载荷是指在背罐车满载装一定量干粉的移动筒仓时的重力，计算时，在进行结构件强度计算时，还应在工作载荷的数值上乘以 1.3（系数）。

A.1.2.2.3　惯性力。

惯性力是起落架举升或者回落时加速运动或减速运动所产生的最大冲击力。

A.1.2.3　附加载荷。

A.1.2.3.1　风载荷。

举升臂满载移动筒仓在有风的状态下运行时，风载荷是一个沿任意方向的水平力，计算风压力为 $250N/m^2$。

A.1.2.3.2　坡度载荷。

坡度载荷是背罐车作业时由于整机倾斜而引起的自重载荷和工作载荷所产生的分力，整车倾斜的校核角度为3°。

A.2 整车抗倾覆稳定性计算

A.2.1 稳定性判定原则。

背罐车在作业状态时满足下述条件则认为是稳定的：当自重载荷（无系数1.2）、工作载荷（无系数1.3）、附加载荷（无系数）和1.1倍的惯性力共同作用于最不利的倾覆线时，其力矩之和大于零。计算时，起稳定作用的力矩为正值，起倾覆作用的力矩为负值。

A.2.2 倾覆线的确定

背罐车在作业状态时，倾覆线就是支脚接触地面的中心连线，见图A.1。

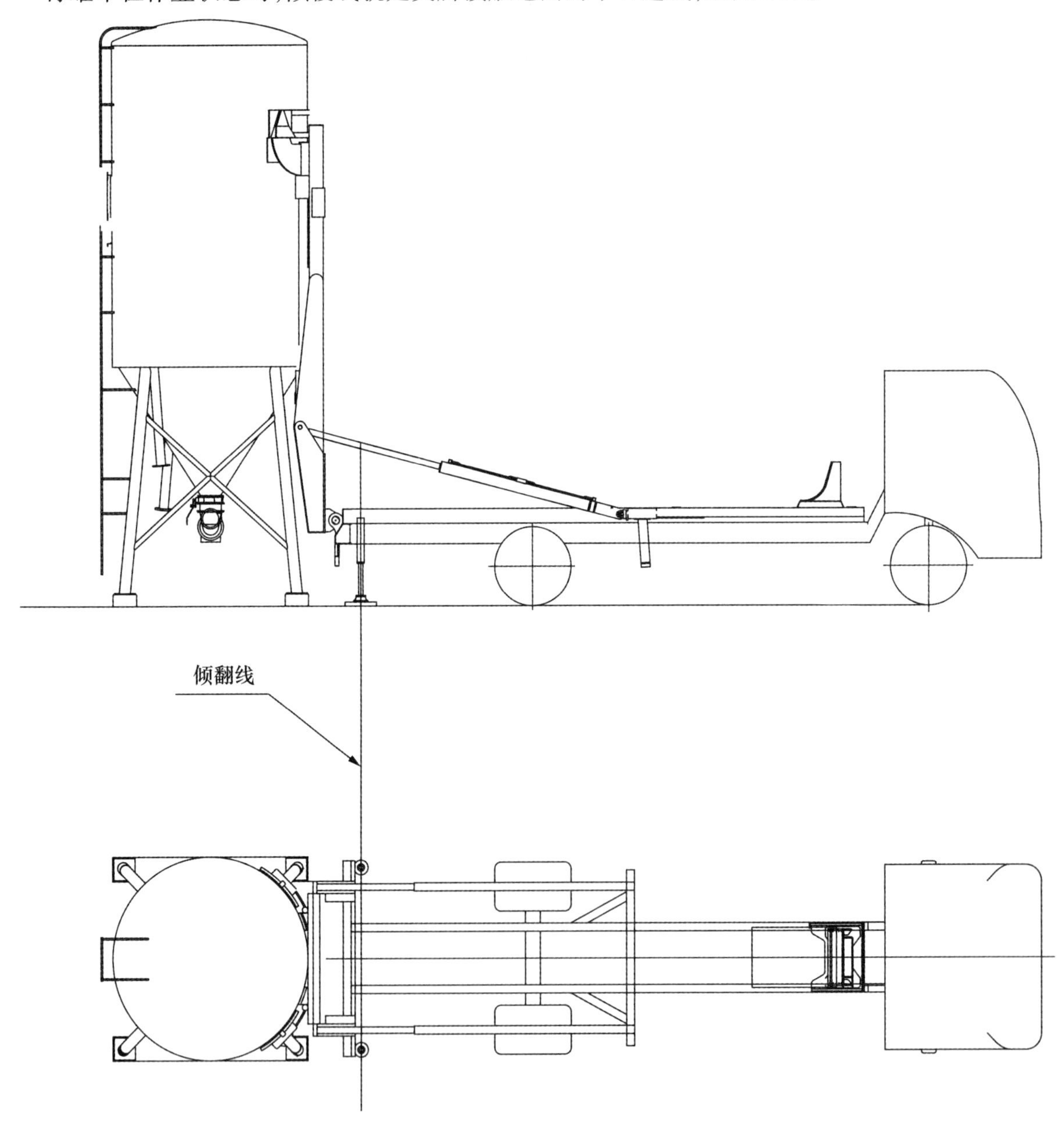

图A.1 倾覆线的确定

附　录　B
（规范性附录）
散装普通干混砂浆均匀度试验方法

B.1　适用范围

本方法适用于测定散装普通干混砂浆运输到施工现场移动筒仓后的均匀度。

B.2　试验工况

背罐车运输散装干混砂浆，并在平坦公路行驶15m、山区公路行驶10m、高速公路行驶15m、凸凹不平路行驶10m以后。

B.3　试验方法

B.3.1　将移动筒仓中砂浆总量近似均匀分成9个间隔，从筒仓底部下料口分10次提取粉料样品各5kg，将每份样品拌和均匀后，称取500g试样进行筛分；若移动筒仓中物料为非连续性使用，则将每次连续使用砂浆总量近似均匀分为9个间隔，按照上述方法取样检测。

B.3.2　将样品倒入符合GB/T 14684要求的附有筛底的标准套筛中，按GB 14684方法进行检测，每个样品检测两次，求每次检测的75μm筛通过率，取两次的平均值作为样品最终75μm筛通过率指标。

B.3.3　求取10个样品75μm筛通过率的离散系数CV，从而得到均匀度指标。

B.4　试验结果计算

B.4.1　每次检测的75μm筛通过率按式（B.1）计算：

$$75\mu m\text{筛通过率} = 75\mu m\text{筛通过物质量} / \text{样品总质量} \quad \cdots\cdots (B.1)$$

B.4.2　离散系数CV按式（B.2）计算：

$$CV = \frac{\sigma}{\bar{X}} \times 100\% \quad \cdots\cdots (B.2)$$

式中：

σ——各样品75μm筛通过率或抗压强度的标准偏差；

$\bar{X}$——各样品75μm筛通过率或抗压强度的平均值。

B.4.3　散装普通干混砂浆的均匀度T按式（B.3）计算：

$$T = 100\% - CV \quad \cdots\cdots (B.3)$$

B.4.4　结果判定

若75μm筛通过率均匀度不小于90％，该筒仓中散装普通干混砂浆均匀性合格，可以使用。

附 录 C
（资料性附录）
背罐车检测数据记录表

表 C.1 尺寸参数记录表

产品型号：____________ 出厂编号：____________

制 造 厂：____________ 出厂日期：____________

测量日期：____________ 气　　候：____________

测量地点：____________ 测量人员：____________

序号	测量项目		设计值	测量值	备注
1	背罐车外形尺寸，mm	长			
		宽			
		高			
2	背罐车支承装置离地间隙，mm	左			
		右			
3	背罐车的最小离地间隙，mm				
4	背罐车离去角，(°)				
5	背罐车接近角，(°)				
6	背罐车后悬，mm				
7	背罐车轴距，mm				
8	背罐车轮距，mm				
9	后防护离地高度，mm				
10	侧防护离地高度，mm				

表 C.2　背罐车举升下降时间测量记录表

产品型号：____________________　　出厂编号：____________________

制 造 厂：____________________　　出厂日期：____________________

测量日期：____________________　　气　　候：____________________

测量地点：____________________　　测量人员：____________________

测量对象	测量数据				备注
	第一次	第二次	第三次	平均值	
起落架举升时间,s					
起落架回落时间,s					

表 C.3　背罐车举升臂最大举升角测量记录表

产品型号：____________________　　出厂编号：____________________

制 造 厂：____________________　　出厂日期：____________________

测量日期：____________________　　气　　候：____________________

测量地点：____________________　　测量人员：____________________

测量次数	第一次	第二次	第三次	第四次	平均	备注
举升臂最大举升角,(°)						

表 C.4　背罐车作业噪声测量记录表

产品型号：____________________　　出厂编号：____________________

制 造 厂：____________________　　出厂日期：____________________

测量日期：____________________　　气　　候：____________________

测量地点：____________________　　测量人员：____________________

测量位置	A 计权平均声压级,dB(A)			平均声压级	备注
	背景噪声	作业噪声(测量值)	作业噪声(修正值)		
位置一					
位置二					
位置三					
位置四					
背景噪声测量过程中有外界异常声音时,应等待异常声音结束后 10s 读数； 作业噪声应取每个作业循环中的最大噪声作为一次记录值,测量过程中有外界异常声音时,该次测量数据作废。					

表 C.5　背罐车液压油缸活塞杆沉降量测量记录表

产品型号:________________　出厂编号:________________

制 造 厂:________________　出厂日期:________________

测量日期:________________　气　　候:________________

测量地点:________________　测量人员:________________

测量次数	第一次	第二次	第三次	第四次	平均	备注
液压油缸活塞杆沉降量,mm						

附　录　D
(资料性附录)
背罐车作业可靠性试验方法

D.1　试验目的

评定背罐车在规定的条件下和预定的时间内维持正常工作的能力。

D.2　仪器设备

所用仪器和设备应符合本标准第6章的要求。

D.3　试样准备

D.3.1　样车的技术文件应齐全。

D.3.2　检查样车各总成、部件、附件及随车工具的完整性、登记样车的制造厂、样车型号、编号、发动机编号及主要总成编号和出厂日期。

D.3.3　应对试验场地的原始状态及需要确定的数据进行测定和记录。

D.4　试验

D.4.1　磨合试验

应按背罐车使用说明书的规定,对样车进行磨合、检查、调整和保养,并做好详细记录。

D.4.2　整车性能试验

作业可靠性试验前,按本标准4.4、4.6、4.7.5以及表1、表2的项目对背罐车进行整机性能试验。

D.4.3　可靠性试验

D.4.3.1　样机的作业可靠性试验累计工作时间为200h(不包括整机磨合、性能试验、发动机空转及行驶时间)。

D.4.3.2　试验期间,应根据使用说明书的有关规定进行技术保养。

D.4.3.3　试验期间,按表D.1做好详细记录;样车发生故障后应及时分析诊断和排除,并按表D.2的规定进行故障分类。

表D.1　作业可靠性试验记录表

试验车型号:＿＿＿＿＿＿＿＿＿＿　　出厂编号:＿＿＿＿＿＿＿＿＿＿

试 验 地 点:＿＿＿＿＿＿＿＿＿＿　　试验人员:＿＿＿＿＿＿＿＿＿＿

试 验 日 期:＿＿＿＿＿＿＿＿＿＿

背罐车可靠性试验时间,h	故障情况	排除故障次数	排除故障的时间总和,h	平均无故障时间,h	可靠度	备注

D.4.4 整车性能复试

当累计作业时间达到200 h后，按本标准4.4、4.6、4.7.5以及表1、表2的项目对背罐车进行整机性能复度。

D.5 故障分类、折算及判定

D.5.1 分类及折算

D.5.1.1 背罐车故障分为基本故障和从属故障。

D.5.1.2 按背罐车故障造成的危害程度及排除故障的难易程度，将基本故障分为致命故障、严重故障、一般故障和轻度故障四类，其代号、定义和故障折算系数见表D.2。

表D.2 故障分类及故障折算系数表

类别	故障分类及代号	分类原则(定义)	折算系数
1	致命故障(ZMF)	严重危及或导致人身伤亡，引起主要总成报废，造成主要部件损坏，经济损失重大的故障	—
2	严重故障(YZF)	严重影响产品性能，造成停车维修、更换外部主要零部件或专用件，修理费用高，在较短时间(4 h)内无法排除的故障；也包括重要指标恶化至规定范围以外的故障	1.5
3	一般故障(YBF)	明显影响产品主要性能，修复外部主要零部件和专用件，修理费用中等，较短时间(4 h)内能够排除的故障	1.0
4	轻度故障(QDF)	比较容易排除的故障，暂时不会导致设备停机，修理费用低，用随车工具在短时间(30 min)内能轻易排除的故障	0.1

D.5.1.3 由于驾驶员违章驾驶、操作员违章操作，未按规定使用所造成或明显人为因素造成的故障均属从属故障。此故障也应认真分析，但不作故障处理，而做事故处理。

D.5.1.4 背罐车在计算当量故障次数时只计算基本故障。

D.5.2 类别判定

背罐车故障实例分类见表D.3，未包含在表D.3中的故障，按表D.2规定的分类原则判定。

表D.3 背罐车故障实例分类

序号	名 称	故障模式	情况说明	故障类别
1	启动性能	不能启动	操作员无法解决	YZF
2	启动性能	启动困难	每次启动均经努力	YBF
3	启动性能	控制系统不运作	操作员可以在指导下修复	QDF
4	动力性能	发动机功率降低	超过5%，但仍能维持工作	YBF
5	经济性能	燃油消耗高	超过10%	YBF
6	举升臂	工作过程有异响	铰座销轴内润滑不足或有异物干涉	YBF
7	移动托架	内有障碍物卡死	清除障碍物	YBF
8	上装	旋转失效	没有取掉固定销轴	QDF

表 D.3(完)

序号	名 称	故障模式	情况说明	故障类别
9	筒仓顶座	抱死	润滑不良	YBF
10	固定销轴	无法正常锁住	辅助油缸伸缩没到位	QDF
11	液压泵	不运转	未正确开启取力器或联轴器轴花键磨损失效	ZMF
12	联轴器	有异响	润滑不足	QDF
13	辅助部件	零部件断裂、漏油	由老化、松动造成	YZF
14	一般部件	三漏、卡死、断裂	易修复	YBF
15	重要部件	拉伤、严重磨损、断裂,水箱水泵	重要部件更换	YZF
16	关键部件	活塞、连杆、曲轴、轴承、飞轮	关键部件失效或引起发动机报废	ZMF
17	电瓶	电压低	无法充电或供电电路故障	YBF
18	液压油箱	漏油	震动或焊接所致	QDF
19	液压泵	无压力、未出油	齿轮泵端面或齿面磨损,或传输轴断裂等	YZF
20	压力表	不准	压力指示偏差较大	QDF
21	溢流阀	不能锁住压力或漏油		YBF
22	过滤器	堵塞或流速太慢		YBF
23	集成阀块	阻塞或漏油	阀块已损坏	YZF
24	电磁阀	不能导通	烧坏	YBF
25	平衡阀	不能锁定	阀坏	YBF
26	比例阀	流量太大或太小	无法控制速度	YBF
27	比例放大板	不能放大或无输出	输出保护烧坏或板卡烧坏	YBF
28	油缸	内泄或漏油	不可修复	YZF
29	管道	漏油		QDF
30	可编程控制器	程序故障	程序丢失或操作错误	QDF
31	可编程控制器	硬件故障	电源或输出点损坏	YZF
32	扩展模块	硬件故障	输出点损坏	YBF
33	开关电源	输出异常	烧坏或电压不稳	YBF
34	车载后视监控系统	监控异常	摄像头或显示屏异常	QDF
35	称量终端	操作、显示和控制故障	硬件故障	YBF
36	称量终端	显示和控制故障	设置错误	QDF
37	按钮	操作异常		QDF
38	灯	吸顶灯、氙气灯、廓灯、钠灯、警示灯、灯泡等	烧坏	QDF

D.6 试验结果

D.6.1 可靠性特征量计数

D.6.1.1 试验期间,如样车出现致命故障,本次试验应终止,不计算可靠性特征量。

D.6.1.2 试验期间,未出现致命故障的样车,按式(D.1)、式(D.2)、式(D.3)计算可靠性特征量。

D.6.1.3 用当量故障次数对故障进行统计,当量故障次数按式(D.1)计算:

$$N_0 = \sum_{i=1}^{3} \varepsilon_i N_i \quad \cdots\cdots (D.1)$$

式中:

N_0——当量故障次数,当 $N_0 < 1$ 时,取 $N_0 = 1$;

ε_i——故障折算系数,见表 B.2;

N_i——各类故障实际次数。

D.6.1.4 背罐车的平均无故障工作时间 *MTBF* 按式(D.2)计算:

$$MTBF = \frac{T_W}{N_0} \quad \cdots\cdots (D.2)$$

式中:

T_W——作业时间,指有效的作业时间,包括必要的空运转,不包括工作的间隔时间,h;

N_0——当量故障次数。

D.6.1.5 背罐车的可靠度按式(D.3)计算:

$$R_W = \frac{T_W}{T_W + T_F + T_M} \times 100\% \quad \cdots\cdots (D.3)$$

式中:

R_W——可靠度;

T_W——作业时间,指有效的作业时间,包括必要的空运转,不包括工作的间隔时间,h;

T_F——故障时间,指背罐车发生故障不能运转,从停机开始恢复正常作业失去的实际时间(不包含零件加工时间和配件等待时间),h;

T_M——保养时间,指在作业前后,加注润滑油、油脂和设备检查调整、规定期限内的易损件更换、设备清洗等正常维护所占用的时间(如果保养时间每台班不超过 30min,可不作统计),h。